Le Livre de la Jungle

raconté par **MARLÈNE JOBERT**

EDITIONS
ATLAS

Éditions Glénat
Services éditoriaux et commerciaux :
39, rue du Gouverneur-Général-Éboué
92130 ISSY-LES-MOULINEAUX

© Éditions Atlas, MMIV
© Éditions Glénat, pour l'adaptation, MMVII
Tous droits réservés pour tous pays

Avec la participation de Marlène Jobert
Illustrations : atelier Philippe Harchy
Photo de couverture : Eric Robert/Corbis

Achevé d'imprimer en Italie en juillet 2010 par L.E.G.O. S.p.A.
Viale dell'industria, 2
36100 Vicenza
Le papier utilisé pour la réalisation de ce livre provient de forêts gérées de manière durable
Dépôt légal : septembre 2007

Loi n°49-956 du 16 juillet 1949 sur les publications destinées à la jeunesse.

Un jour, au cœur de la jungle, il se passa une chose extraordinaire : des cris que les animaux n'avaient jamais entendus jusqu'alors retentirent soudain ; c'étaient les pleurs d'un petit bébé d'homme. Personne ne sut jamais qui l'avait abandonné là, dans un panier d'osier, entre les hautes herbes.

Le seigneur tigre, Shere Khan, de très loin, l'avait flairé le premier et s'était déjà mis en route pour le dévorer... Mais Bagheera, la panthère noire, respectée de toute la jungle, le découvrit avant lui. Elle était puissante, et peu de proies lui échappaient.

Pourtant, lorsqu'elle se pencha sur le petit d'homme, elle fut si attendrie par son sourire qu'elle lui dit :

- *Tu as de la chance que ce soit moi qui te trouve, petite grenouille ! Le tigre Shere Khan n'aurait fait de toi qu'une bouchée. Il est si cruel et si lâche qu'il se jetterait sur une pauvre proie sans défense. Mais, ne crains rien, je t'emmène chez le loup Akela. Il vient d'avoir des petits, sa louve acceptera sûrement de t'adopter...*

Elle aima aussitôt le petit à la peau sans poils. Elle le lécha, le nourrit, l'éduqua avec ses petits louveteaux, qui jouèrent comme des frères avec lui, et elle l'appela Mowgli.

Quelques semaines plus tard, le grand conseil des loups eut lieu. Ils venaient de toute la région présenter leurs petits pour que chacun puisse les reconnaître et ne leur fasse pas de mal. Akela, qui était leur chef tout-puissant, montra le petit Mowgli. Les loups étaient tout à leur surprise, lorsque, soudain, un rugissement terrifiant les fit se retourner : c'était Shere Khan, le redoutable tigre, furieux de s'être fait devancer :
- *Rendez-moi ce petit d'homme, il est à moi ! Je l'ai flairé le premier,* lança-t-il d'un air féroce.
 - *Pas question,* répondit Akela, *il fait partie des nôtres.*

À ce moment, la masse énorme et trapue d'un gros ours s'avança ; c'était le brave Baloo, que tout le monde appréciait pour sa bonté, son expérience et son savoir. Tous firent alors silence, et il gronda :
- Le petit d'homme doit grandir avec ses frères les loups, et je lui enseignerai moi-même les lois de la jungle.
Puis la panthère Bagheera bondit, sombre et superbe, au milieu de l'assemblée :
- Baloo a raison, le petit appartient à ceux qui l'ont accueilli !

Et c'est ainsi que Mowgli fut accepté par toute la tribu des loups, et Shere Khan dut repartir bredouille en rugissant de colère.

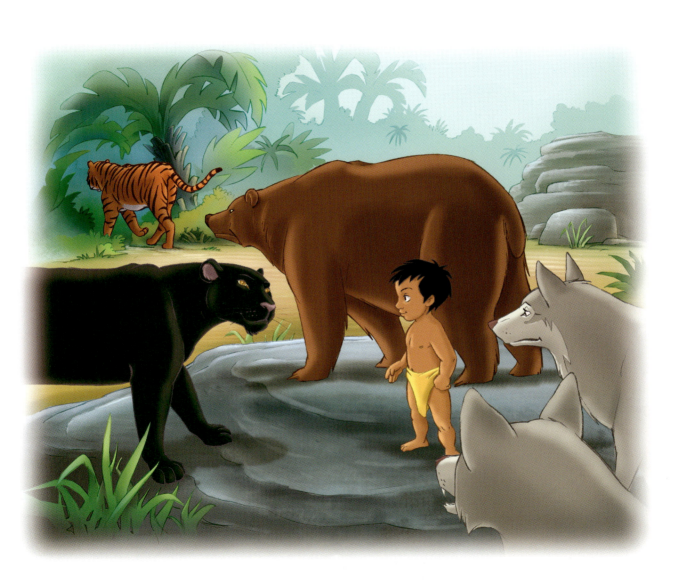

Baloo se prit vite d'affection pour son nouvel élève, et il lui arrivait souvent d'être impressionné par son intelligence et sa mémoire.
Grâce à ses leçons, le petit d'homme sut bientôt grimper aux arbres avec l'agilité d'un singe, nager comme un poisson et courir aussi vite qu'un fauve.
De plus, il apprit le langage des serpents, des oiseaux, des éléphants, de presque tous les habitants de la jungle.

Bagheera suivait ses progrès et était très fière de lui.
Pourtant Mowgli n'était pas toujours sage !

Un jour que Baloo l'avait grondé, le petit s'en alla bouder dans un arbre ; quand, plus tard, il redescendit, l'ours lui demanda :
- *Alors, petite grenouille, es-tu toujours fâchée ?*
- *Mais non, gros balourd adoré !* fit Mowgli, *je vais même t'apprendre un secret : je serai bientôt le chef d'une grande tribu !*
- *Ah bon !* répondit Baloo, amusé, *et laquelle s'il te plaît ?*
- *Celle de mes amis les singes ; ils m'ont offert des bananes pour me consoler et m'ont dit que si je les suivais je deviendrais leur chef.*

- *Si tu les suivais, tu courrais surtout au-devant de gros ennuis !* l'interrompit Baloo en prenant un ton très grave.

Écoute bien Mowgli, méfie-toi du peuple des singes, on ne peut leur faire confiance, ils ne savent que crier et se balancer de liane en liane. Ils n'ont aucune loi et encore moins de chef. Il ne faut pas croire un mot de ce qu'ils te racontent... Suis mes conseils, petit, évite leur compagnie.

C'était la première fois que Baloo lui parlait avec autant de sérieux, et, comme Mowgli l'aimait beaucoup, il lui promit de ne jamais suivre les singes.

Après cette leçon, le petit d'homme s'endormit avec ses frères loups. Bagheera et Baloo n'étaient pas loin pourtant...

Pourtant, lorsque Mowgli se réveilla, il était quelque part dans les arbres, ballotté de mains en mains par une multitude de singes qui bondissaient de branche en branche : ils l'avaient enlevé. Bagheera et Baloo tentèrent bien de les rattraper, mais l'ours était trop lent et la panthère ne pouvait grimper aussi haut.
Alors Bagheera eut une idée :
- *Courons demander de l'aide à Kaa, le serpent, lui seul connaît leur repaire, et il est leur pire ennemi.*

Kaa était un python de dix mètres de long et d'une force prodigieuse. Les singes le redoutaient, car il pouvait les atteindre jusqu'à la cime des arbres ; il avait même le pouvoir terrible de les paralyser rien qu'en les regardant fixement, au point qu'ils ne pouvaient plus faire un seul geste. Kaa allait justement se mettre en chasse. Il écouta avec attention Baloo et Bagheera, et fut d'accord tout de suite.

- Tsssss ! Ces singes sont aussi insolents que stupides, une sérieuse leçon serait sûrement nécessaire à ces sots sans cervelle.

Ils s'élancèrent donc aussitôt jusqu'au vieux temple en ruine dont les singes avaient fait leur demeure. Bagheera et Kaa fonçaient devant, vifs comme l'éclair. Baloo les suivait comme il pouvait.

La nuit était tombée, et les singes retenaient toujours Mowgli prisonnier. Le petit avait le vertige au milieu de ces centaines de singes qui tournaient sans cesse autour de lui.

Tout à coup, un nuage noir masqua la lune. C'est le moment que choisit Bagheera pour attaquer, mais les singes étaient si nombreux qu'elle n'en venait pas à bout.

Puis, Baloo se jeta à son tour dans la bataille, mais lui aussi était dépassé par le nombre.

C'est alors qu'au sommet du temple éclairé par la lune apparut Kaa. Dressé et menaçant, il lança un sifflement si perçant que tous les singes s'enfuirent, terrorisés.

Bagheera prit alors Mowgli sur son dos et, toujours suivie de Baloo, fonça à travers la jungle.

L'affection qui les liait tous les trois s'en trouva renforcée.

Et, à partir de ce jour, ils devinrent inséparables.

Les années passèrent, mais Shere Khan ne pouvait oublier la proie qui lui avait échappé. Il se faisait de plus en plus d'amis parmi les jeunes loups ambitieux et attendait son heure pour prendre sa revanche. Bagheera sentait tout cela, et un jour elle dit à Mowgli :

- *Petit, il faudra bientôt que tu quittes la jungle pour aller rejoindre les tiens, les hommes !*

Mowgli ouvrit de grands yeux étonnés, il ne comprenait pas.

- *Les hommes ? Mais ma famille, c'est toi, Bagheera et Baloo, et les loups ; les miens ce sont les animaux de la jungle. Je suis aimé de tous ici !*

- *Non, Mowgli, tu te trompes, pas de tous. Nombreux sont ceux qui peuvent de moins en moins supporter ta présence.*

- *Pourquoi ? Je n'ai rien fait de mal.*

- *Écoute-moi, petit. Shere Khan essaie de monter les loups contre toi, en leur racontant qu'un jour tu feras comme les autres hommes qui viennent dans la jungle et qu'alors tu nous captureras et tu nous tueras... Shere Khan veut ta mort depuis longtemps et Akela sera bientôt trop vieux pour te défendre.*

Mowgli restait silencieux et songeur. Bagheera reprit :
- *Il y a un moyen de tenir tous tes ennemis à distance, y compris Shere Khan : c'est le feu. Va prendre un de ces pots où la flamme brûle toujours près des maisons des hommes, si tu n'as pas peur !*
- *Le feu ne m'a jamais fait peur !* s'écria Mowgli en s'élançant déjà vers le village le plus proche.
- *Ah !* soupira Bagheera en le regardant s'éloigner. *Tu es bien un homme ! Nous autres, les animaux, avons très peur du feu.*

Mowgli revint le lendemain avec un pot rempli de braises rouges ; il le gardait près de lui et en prenait grand soin pour ne pas que le feu s'éteigne...

Ce jour-là, tout le clan des loups devait se réunir. Akela était désormais trop âgé et devait laisser sa place de chef. Shere Khan était présent, arrogant et orgueilleux, entouré de ses tout nouveaux amis, de jeunes loups aux crocs acérés ; ils étaient déchaînés, ils hurlaient qu'Akela n'avait plus droit à la parole, que le petit d'homme n'avait plus rien à faire ici, qu'il fallait qu'il parte et tout de suite.

- *Non, donnez-le moi,* gronda alors Shere Khan !

Pour la première fois de sa vie, Mowgli eut peur.

Bagheera lui chuchota à l'oreille :

- *C'est à toi ! Vas-y !*

Alors le petit d'homme se dressa, une branche enflammée à la main, qu'il fit tournoyer au-dessus de sa tête ; les jeunes loups, effrayés, rampèrent ; Shere Khan, d'abord surpris, n'osa faire un geste, puis il essaya sournoisement de l'attaquer par derrière, mais Akela prévint le petit garçon, qui brandit aussitôt la flamme sous la gueule du tigre en criant :

- *Traître ! Un geste, et je brûle ta fourrure. Vous, les loups qui m'avez trahi, sachez que je ne resterai plus longtemps ici. Je rejoindrai mes semblables, les hommes. Mais prenez garde à Shere Khan, il est cruel et fourbe, n'en faites jamais votre chef ou vous le regretterez, vous m'entendez ? Jamais ! Et n'oubliez pas que je vous aimais...*

Allez, maintenant, disparaissez ! Allez !

Alors, tous les fauves s'enfuirent, et seuls restèrent Baloo, Bagheera, Akela, et quelques loups fidèles. Mowgli sentit alors comme de l'eau couler sur ses joues. Il se demanda d'où cela pouvait venir, ce n'était pas la pluie pourtant !

Il ne comprenait pas. Bagheera s'approcha et lui dit doucement :

- *Ce sont des larmes, Mowgli, des larmes. Tu es vraiment un homme à présent... Va, maintenant, va !*

Mowgli alla embrasser tendrement la mère louve qui l'avait élevé.

- *Petit d'homme je t'aimais plus que mes propres enfants !* lui dit-elle affectueusement.

Mowgli, le cœur serré, dit adieu à ses amis et partit.

L'aurore commençait à poindre quand il arriva près du village des hommes. Il entendit alors un chant qu'il trouva encore plus merveilleux que celui des oiseaux. C'était une très jeune fille qui, à la rivière, puisait de l'eau. Elle était si jolie que, fasciné, il n'osait approcher de peur qu'elle ne s'enfuie. Mais elle l'aperçut, lui sourit et l'invita à la suivre.

Mowgli venait de trouver la plus belle raison de vivre parmi les hommes.

Fin